I Love My

Mummy

bookoli

D1578489

I love my mummy because she **bOUNCes** on my bed,

And shouts out "Good morning!" before kissing my head.

I **love** my mummy

because when she makes things to eat,

She says if I'm good then

I might get a **treat!**

I **love** my mummy because she helps me get dressed,

And always makes sure that I look my best.

I love my mummy

because she's so **funny**.

When we go to the farm,

she **hops**

like a **bunny!**

I love my mummy
because she helps me to bake.

We make muffins and cookies
and a big chocolate cake.

I love my mummy because on a rainy day,

She always comes up with

fun games we can play.

I love my mummy

because she shows things to me.

And teaches me about

all the creatures I see.

I love my mummy

because when I get in a muddle,

She's there to give me a **kiss** and a **cuddle**.

When we sing and play in our

bubble bath!

I love my mummy because she **reads** to me before bed.

And tells me fun stories

made up in her head.

I **love** my mummy because she **hugs** me tight,

Before tucking me in and saying, "**Night** night."

I love my mummy because

she finds a special way,

To show that she loves me each and every day!